ACTIVITÉS

Gérard Vigner

écrire
pour
convaincre

CORRIGÉS

Observer...
S'entraîner...
Écrire...

HACHETTE
Livre
Français langue étrangère
58, rue Jean-Bleuzen, 92170 VANVES

Couverture : Gilles Vérant
Réalisation : Mosaïque

ISBN : 2 011550823
© Hachette Livre 1997 – 43, quai de Grenelle, 75905 Paris Cedex 15.
Tous droits de traduction, de reproduction et d'adaptation réservés pour tous pays.

Les corrigés proposés correspondent à ce qu'il est possible de répondre aux différentes questions et activités figurant dans l'ouvrage *Écrire pour convaincre*, notamment dans les premiers chapitres qui portent sur la maîtrise d'outils organisant et manifestant une démarche d'argumentation.

Toutefois, dans un très grand nombre de cas, et notamment au fur et à mesure que l'on avance dans l'ouvrage, il n'existe pas une seule forme de réponse possible. Nous ne sommes pas ici en présence d'exercices à réponses fermées, comme cela peut se faire en grammaire ou en morphologie.

Le propre des activités de production de texte est d'autoriser des formes de réponse variées, en surface, dès lors que la construction interne de la réponse correspond à un schéma logiquement construit et explicité.

SOMMAIRE

◆ Aspects généraux ◆

◆ Les formes de l'argumentation ◆

DE QUOI S'AGIT-IL ?

Représenter un événement, des actions

1 pp. 7-8

a La découverte par des chercheurs de fossiles dans le Nord du Tchad, en octobre 1995, pourrait remettre en question un certain nombre de théories sur les origines de l'homme.

b La fusée Ariane 4 a décollé de Kourou, le 17 novembre, emportant un satellite d'astronomie en vue de procéder à une exploration plus précise de l'univers.

c Un autocar a percuté une maison, à Cronat, en Saône-et-Loire, hier matin, après avoir manqué un virage, ce qui a fait treize blessés.

2 p. 8

1	Qui ?	• 500 personnes
	Quoi ?	• ont défilé
	Où ?	• devant l'usine d'Argentan, dans l'Orne
	Quand ?	• hier matin, pendant une heure
	Comment ?	
	Pourquoi ?	• La direction a annoncé son intention de supprimer 2 600 emplois sur 11 000
	Conséquence ?	
2	Qui ?	• Un convoi exceptionnel
	Quoi ?	• a écrasé un motard de la police nationale
	Où ?	• le long de la Nationale 2 au Bourget
	Quand ?	• hier peu après minuit
	Comment ?	• Le motard a heurté un panneau de signalisation, l'engin a été déséqui-libré, le motard a chuté sous les roues du plateau
	Pourquoi ?	• raison inconnue
	Conséquence ?	

3 p. 9

2 Chute considérable du nombre de spectateurs dans les salles de cinéma.

3 Licenciement de cinquante personnes par l'usine de production de matériel électrique.

4 Victoire de l'équipe de France sur celle d'Israël par 3 buts à 2.

5 Incident à l'atterrissage d'un Airbus hier à Orly.

6 Occupation des bureaux du rectorat par les étudiants de l'université de Lille.

7 Disparition d'un alpiniste français dans le massif de l'Annapurna.

8 Augmentation de 45 centimes depuis hier du prix de l'essence.

9 Arrivée en masse de touristes au bord de la mer.

10 Ouverture exceptionnelle ce dimanche des grands magasins.

11 Télescopage hier de quatre véhicules sur l'autoroute à cause du brouillard.

12 Manifestation des agents des chemins de fer devant la préfecture.

13 Forte augmentation de la pollution atsmosphérique dans les grandes villes.

Représenter le changement, l'évolution

1 p. 12

1 Les Français et la lecture

L'augmentation du nombre de lecteurs constatée au cours de ces dix dernières années est à mettre à l'actif des femmes, principalement. Le doublement de la surface des bibliothèques en dix ans y est aussi pour quelque chose.

Chez les hommes, la proportion des « bouqui-neurs » (ceux qui lisent près d'un livre par mois) diminue d'un quart (34% en 1967 à 27 % en 1988 dans l'enquête INSEE) ; chez les femmes, le mouve-ment est d'ampleur à peine moindre mais de sens

6

inverse (31% en 1967 à 36% en 1988 dans l'enquête INSEE). Or cette <u>croissance</u> des « bouquineuses » n'est pas le fait des femmes de tous milieux sociaux. Les bouquineuses <u>se raréfient</u> chez les commerçants, artisans et patrons, chez les employés et les cadres moyens ; la <u>décroissance</u> est plus accentuée chez les cadres supérieurs et les professions libérales. Plus le milieu social est élevé, plus <u>régresse</u> la proportion de « bouquineuses ». En revanche, dans la même période la proportion de « bouquineuses » <u>augmente</u> dans le personnel de service, chez les femmes d'ouvriers, chez les exploitants agricoles, chez les ménages d'inactifs et chez les salariés agricoles.

Sciences Humaines, n° 6, oct. 94

2 augmentation : croissance, expansion, multiplication
doublement : multiplication par deux
diminuer : baisser, décroître, se réduire
ampleur : ici, importance, extension
se raréfier : diminuer, baisser
décroissance : diminution
régresser : décliner, diminuer, reculer
augmenter : croître, se multiplier

3 Les hommes lisent moins, les femmes lisent plus.

4 Le nombre d'hommes qui lisent va en diminuant alors qu'il augmente chez les femmes. Cependant ce mouvement n'est pas identique chez toutes les femmes. La proportion de « bouquineuses » diminue dans les milieux à revenus élevés ou chez les cadres moyen, mais augmente dans les catégories sociales plus modestes.

2 p. 12

réduire, augmenter, augmentation, diminuer, réduire.

3 p. 13

redresser, résorber, stabiliser, croissance, croissance.

4 p. 13

La taille moyenne des Français a augmenté de plus de 10 cm en un siècle. L'espérance de vie des Français s'est considérablement accrue (allongée)…
En revanche, la proportion des moins de vingt ans va diminuer (décroître, chuter)…
Les effectifs scolaire dans le primaire vont connaître une chute (diminution) dans les prochaines années, alors que les effectifs de l'enseignement secondaire vont se maintenir (rester stables). Le nombre d'étudiants va augmenter (croître), mais la proportion des jeunes dans la vie active va aller en diminuant.

5 p. 15

1	élargissement	6	agrandissement
2	allongement	7	stagnation
3	dégradation	8	dégradation
4	stagnation	9	diminution
5	métamorphose		

6 p. 16

Le nombre d'éléphants sur le continent africain est en diminution constante à cause notamment des braconniers qui les tuent pour leur ivoire
(ou bien)
Le nombre d'éléphants tués chaque année sur le continent africain par les braconniers est en augmentation constante.

7 p. 16

La croissance démographique dans le tiers-monde s'est nettement ralentie sous l'effet des transformations économiques et sociales.

Rapporter une explication

1 p. 18

2 Le débordement de la rivière a entraîné l'interruption de la circulation pendant trois jours.

3 Le changement de gouvernement a permis une reprise des activités économiques.

4 L'installation de nouvelles stations de traitement des eaux usées a permis une diminution de la pollution des rivières.

5 La mauvaise préparation de l'équipe par l'entraîneur est responsable de la défaite.

6 Le fait que les gens ne soient pas suffisamment attentifs contribue à rendre le travail des voleurs plus facile.

7 Le fait de trop insister sur l'orthographe à l'école n'incite pas les élèves à écrire.

8 la multiplication des stages en entreprise doit permettre aux étudiants de mieux connaître le monde du travail.

9 La baisse du prix des billets d'avions entraîne/est à l'origine de l'augmentation du nombre de passagers.

10 L'allègement des programmes de l'école primaire se traduira par une diminution du nombre de redoublements.

2 p. 19

(2-7) La victoire en Coupe de France est dûe à un meilleur entraînement de l'équipe de football.

(3-9) La ruine des paysans provient de la sècheresse dans les campagnes.

(4-1) La pollution des rivières a pour origine les rejets industriels.

(5-4) Les troubles de l'audition dont souffrent un certain nombre de jeunes proviennent d'une utilisation excessive du baladeur.

(6-8) La multiplication des jeux vidéo est responsable de la diminution de la lecture chez les enfants.

(8-3) La fermeture des petites salles de cinéma provient d'une diminution du nombre de spectateurs.

(9-5) Les glissements de terrain sont dûs à des chutes de pluie considérables.

3 p. 20

2 Le succès du hard-rock s'explique par / est dû à l'extrême violence du rythme.

3 L'augmentation du chômage provient / trouve son origine dans la recherche toujours plus grande de la productivité.

4 La diminution régulière du nombre de mariages s'explique par la volonté des personnes de conserver leur autonomie.

5 Le succès des grandes expositions est la conséquence d'une amélioration du niveau de formation des gens.

6 Le développement du tourisme est lié / dû à la baisse des prix des voyages.

7 La pratique du jogging chez les citadins s'explique par le goût de la forme physique.

8 La quasi-disparition des cirques est dûe au développement de la télévision.

9 La fermeture des petites épiceries de quartier est la conséquence du développement des grandes surfaces.

10 La difficulté des femmes à percer dans la vie politique française s'explique par la survivance de vieilles traditions.

ARGUMENTS À L'APPUI
LES RELATIONS LOGIQUES

Donner des raisons, expliquer, (se) justifier

1 p. 24

1 car **2** parce que **3** puisque **4** d'ailleurs

2 p. 24

Une augmentation n'est pas envisageable, car de la sorte on affaiblirait les entreprises dont les profits servent à financer les investissements. On ne peut pas l'envisager non plus à cause de la concurrence internationale qui est très forte. D'ailleurs, on ne doit pas l'oublier, la productivité doit augmenter avant les salaires.

3 p. 25

Il faut augmenter les salaires car cela permettrait de relancer la consommation. On peut l'envisager d'autant plus aisément que depuis dix ans l'évolution des salaires est inférieure à la productivité. D'ailleurs, pourquoi s'y opposer, quand on sait que les chefs d'entreprise ont vu leur rémunération augmenter considérablement ces dernières années.

4 p. 25

(Réponse qui dépend du pays de référence des élèves)

5 p. 25

(réponses possibles)
Je préfère rompre progressivement parce que cela me paraît moins brutal.
Je préfère lui dire les choses franchement parce que sinon cela pose toutes sortes de problèmes.
Je préfère disparaître sans rien dire, car on évite de la sorte les discussions inutiles.

En conséquence...

Ex. p. 28

1 par conséquent, donc **2** de ce fait **3** ainsi **4** alors

1 p. 30

Voyager à l'étranger, c'est bien, mais c'est compliqué et cher ; au bord de la mer, il y a trop de monde ; je pourrais aussi aller à la montagne, mais il risque d'y pleuvoir ou de faire froid, quant à la campagne, qu'est-ce qu'on peut bien y faire ? Dans ces conditions, pourquoi ne pas rester chez soi, en ville ? / En définitive, le mieux, c'est peut-être de rester chez soi, en ville.

2 p. 30

Reprendre le travail n'est pas chose si simple. On peut se présenter directement dans les entreprises, mais avec une formation initiale incomplète, et sans expérience professionnelle, les chances sont très limitées. On peut aussi suivre des stages, mais les débouchés à la sortie sont incertains, quant à suivre des cours à l'Université, ce n'est pas toujours possible quand elle est trop éloignée de votre domicile. De sorte que reprendre une formation universitaire par correspondance peut être la meilleure solution.

3 p. 31

Quand on aime le cinéma, on ne peut pas être satisfait du choix des films proposés par la télévision. On peut certes aller au cinéma, mais c'est cher et pas toujours commode. Il y a aussi la solution qui consiste à s'abonner à un club vidéo, mais le choix des films proposés est limité ; quant à l'achat de films enregistrés, cela se révèle coûteux à la longue. Dans ces conditions, s'abonner au câble, à une chaîne de cinéma, est peut-être la meilleure solution.

Raisonner, prouver

1 p. 33

(L'exercice se décompose en fait en deux parties, 1, 2, 3 et 4, 5, 6.)
(1. 3. 2.) Les mères de famille nombreuse, très souvent ne travaillent pas. Or le taux d'activité des femmes a augmenté depuis 1965. C'est donc le tra-

vail des femmes qui est responsable de la diminution très forte des familles nombreuses.

(6. 4. 5.) On dit qu'un jeune sur cinq est au chômage en France. Or, la moitié des jeunes de 16 à 25 ans est scolarisée. Le chômage, en fait, ne touche que la partie de ceux qui sont passés à la vie active.

2   p. 33

4, 6, 1, 2, 3, 5
1er paragraphe : 5. 2. 4. 6. 3.
2e paragraphe : 2. 4. 1. 5. 3.

3   p. 34

1 **Première proposition :** La grotte de la Combes d'Arc pourrait être, selon certains, l'œuvre d'un faussaire.

Deuxième proposition : Or, la variété du bestiaire représenté aurait exigé, de la part d'un éventuel faussaire, de sérieuses connaissances scientifiques.

....

Conclusion : Donc, les fresques sont authentiques.

Première proposition : La grotte de la Combes d'Arc pourrait être, selon certains, l'œuvre d'un faussaire.

Deuxième proposition : Or, seul le temps provoque une pénétration diffuse des pigments des traits du dessin dans la roche.

Conclusion : Donc, les fresques sont authentiques.

....

Première proposition : La grotte de la Combes d'Arc pourrait être, selon certains, l'œuvre d'un faussaire.

Deuxième proposition : Or, il n'y a aucune trace d'empreinte, détail qui souvent trahit les faussaires.

Conclusion : Donc, les fresques sont authentiques.

....

Première proposition : La grotte de la Combes d'Arc pourrait être, selon certains, l'œuvre d'un faussaire.

Deuxième proposition : Or, les fresques sont à près de six mètres du sol et on n'a pas trouvé d'échafaudage. En revanche on a décelé l'existence jadis d'un sol plus élevé qui s'est effondré voici plusieurs millénaires.

Conclusion : Donc, les fresques sont authentiques.

....

Première proposition : La grotte de la Combes d'Arc pourrait être, selon certains, l'œuvre d'un faussaire.

Deuxième proposition : Or, les fresques sont d'une grande qualité, ce qui supposerait que le faussaire soit un expert de la Préhistoire et en plus un grand artiste.

Conclusion : Donc, les fresques sont authentiques.

....

2 La Grotte de la Combes d'Arc, découverte récemment en France, a révélé des fresques d'origine préhistorique absolument remarquables. Sur plusieurs centaines de mètres, sont reproduits toutes sortes d'animaux (ours, bisons, rhinocéros, etc.)

Certains cependant sont sceptiques et se demandent si on n'est pas là devant l'œuvre de faussaires, ce qui s'est déjà produit à plusieurs reprises. On peut toutefois avancer un certain nombre de preuves à l'appui de l'authenticité de ces fresques : la variété du bestiaire représenté qui, sinon aurait exigé, de la part d'un éventuel faussaire, de sérieuses connaissances scientifiques ; les traits du dessin, car seul le temps provoque une pénétration diffuse des pigments dans la roche ; l'absence d'empreinte, détail qui souvent trahit les faussaires ; la hauteur des fresques qui sont à plus de six mètre du sol, alors qu'on n'a pas trouvé d'échafaudage et qu'en revanche on a décelé l'existence jadis d'un sol plus élevé qui s'est effondré voici plusieurs millénaires ; enfin la qualité des fresques qui, si elles étaient l'œuvre d'un faussaire, seraient celles d'un expert de la préhistoire et d'un grand artiste.

On ne peut donc que conclure à l'authenticité de ces fresques.

Introduire, poser le problème

Ex. p. 36

1 On raccourcit la durée du service militaire, ce qui pose une fois encore la question de l'intérêt de cette institution pour les jeunes d'aujourd'hui

2 Deux skieurs sont morts lors du dernier championnat de ski, ce qui ne manque pas de poser une fois encore le problème de la sécurité dans les compétitions.

3 Une seule femme a été nommée ministre dans le nouveau gouvernement ce qui pose une fois encore le problème de la place des femmes dans la vie politique.

. . . .

1 Le dernier roman couronné par le Prix Goncourt est dépourvu de tout intérêt ; ce qui pose une fois encore le problème de l'intérêt que présentent les prix littéraires.

2 La privatisation des compagnies aériennes nationales est à l'ordre du jour, ce qui ne va pas sans poser de nombreux problèmes. Ainsi, privatiser Air France peut être considéré comme une erreur grave.

3 La presse quotidienne nationale est en crise. Ainsi le grands quotidiens nationaux français comme *Le Figaro*, *Le Monde* ou *Libération* ont du mal à maintenir leurs ventes.

Ex. p. 37

– Les gens sont plus heureux à la campagne qu'à la ville. Telle est le genre de remarque que l'on entend très fréquemment.

– Est-il vrai que la télévision soit dangereuse pour les enfants, ainsi que le prétendent de nombreuses personnes aujourd'hui ?

– Fumer des cigarettes légères n'est pas si dangereux que cela. C'est ce que prétendent de nombreuses personnes.

Énumérer

1 p. 40

D'abord, En outre, Enfin, Quant à.

2 p. 40

Le téléphone portable, c'est tout un ensemble d'avantages : d'abord il est très peu cher à l'achat, de même l'abonnement et les communications sont très bon marché, il se met en outre très facilement dans la poche, enfin il offre une grande facilité d'utilisation à l'intérieur de la ville.

3 p. 40

Le groupe que je représente a l'intention d'installer, comme vous le savez, un très grand parc d'attractions tout près de votre village. Je sais que les gens peuvent légitimement s'inquiéter devant de semblables projets. Ils craignent que la vie de leur petite commune ne soit bouleversée par de telles installations. Mais il me paraît nécessaire de vous rappeler tous les avantages qu'une telle opération peut présenter. Tout d'abord, nous verserons à votre commune des taxes importantes, ce qui va augmenter considérablement vos ressources. Nous allons aussi participer à l'amélioration des infrastructures de votre commune. Il faut compter encore avec la création d'emplois que ce projet ne va pas manquer de susciter, avec l'arrivée de nombreux ouvriers sur ce chantier, ce qui profitera aux commerces de votre commune ; enfin, de nombreux restaurants et hôtels ne vont pas manquer autour de notre parc d'attractions, ce qui devrait attirer de nombreux visiteurs dans votre commune.

4 p. 41

L'installation d'un gigantesque parc d'attraction près de notre commune va entraîner une dégradation de notre cadre de vie, ainsi que de très nombreuses nuisances. Les avantages de ce projet, que nous font miroiter les responsables, sont loin de compenser les très nombreux inconvénients que cette installation ne va pas manquer de présenter : et tout d'abord une augmentation très forte des impôts pour notre commune, car il va falloir financer de nombreux travaux d'aménagement ; qui plus est / de surcroît / de plus, il faut savoir que la vie quotidienne des habitants de la commune va être bouleversée par ce chantier ; ainsi la circulation va augmenter de façon dramatique ; quant aux emplois offerts, ils ne concerneront pas pour la plupart les habitants des différents villages qui se trouvent à proximité du parc.

Préciser les faits

1 p. 42

1 Si le nombre global de lecteurs augmente, celui des gros lecteurs néammoins tend à diminuer.

2 Si les Français ne vont au théâtre et au cinéma qu'une fois par mois, ils continuent cependant à beaucoup sortir, dans les musées, au restaurant, chez des amis ou dans les boîtes de nuit.

3 Si les Français partent toujours plus nombreux en vacances, ils partent cependant moins longtemps.

p. 43

4 Si la consommation des Français continue à augmenter, elle a cependant changé de nature.

5 Si le taux de scolarisation des 16-25 ans a fortement augmenté ces dix dernières années, les inégalités liées aux origines sociales des élèves demeurent.

6 Si la scolarisation des jeunes augmente, il en va de même pour le chômage.

7 Si 93 % des passagers à l'avant des véhicules bouclent leur ceinture de sécurité sur l'autoroute, à l'arrière ils sont en revanche très peu à le faire.

2 p. 43

1 Si le nombre de chômeurs en France est particulièrement élevé, le chômage n'est pas un phénomène exclusivement français.

2 Si les classes moyennes représentent maintenant la part la plus importante de la société française, les ouvriers représentent encore 30 % de la population active.

3 Si l'essentiel de la population française est désormais établie dans les villes, les Français sont plus nombreux aussi à s'installer à la campagne, près des grandes villes.

4 Si la vie sexuelle des Français n'a pas fondamentalement changé, ils en parlent cependant plus volontiers.

5 Si l'essentiel de la population française est désormais installée dans les villes, les campagnes françaises ne sont pas pour autant en voie de désertification.

6 Si les personnes les moins qualifiées ont été les premières touchées par le chômage, celui touche maintenant les cadres et les jeunes diplômés.

3 p. 44

1 La vie sexuelle des Français n'a pas fondamentalement changé ces dernières années. En revanche, ils en parlent plus volontiers.

2 Si le chômage touche l'ensemble des pays européens, il touche la France de façon particulièrement brutale.

3 Si la société française est pour l'essentiel constituée de classes moyennes, la population ouvrière représente encore 30 % de la population active.

4 Le chômage ne touche pas que les personnes faiblement qualifiées, il atteint maintenant les cadres et les jeunes diplômés.

5 La société française est certes composée pour l'essentiel de classes moyennes, mais la classe ouvrière pour autant n'a pas disparu.

6 L'essentiel de la population française est désormais installée dans les villes, mais les campagnes pour autant ne se dépeuplent pas.

7 Si le chômage touche l'ensemble des pays d'Europe, il connaît en France une croissance plus forte.

Donner des exemples

1 pp. 45-46

1 ... de créer une petite entreprise entreprise de secrétariat-bureautique. Elle a désormais un emploi, mais que de soucis aussi...

2 Créer son emploi et ouvrir une petite entreprise est possible. Tel est le cas par exemple de Pierrette Laville, longtemps secrétaire de direction qui a

décidé de créer une petite entreprise de secrétariat-bureautique. Mais que de soucis aussi : il faut acheter …

3 Pierrette Laville, longtemps secrétaire de direction, a décidé de créer une petite entreprise de secrétariat-bureautique dont elle est à la fois le patron et l'unique employée. Son cas ne fait qu'illustrer celui des personnes désireuses de créer leur emploi et d'ouvrir une petite entreprise. La chose est possible, mais que de soucis aussi : il faut acheter …

4 Si l'on prend le cas de Pierrette Laville, longtemps secrétaire de direction et qui a décidé de créer une petite entreprise de secrétariat-bureautique, on s'aperçoit que créer son emploi est possible. Mais que de soucis aussi : il faut acheter …

5 Créer son emploi et ouvrir une petite entreprise est possible. L'exemple le plus significatif nous est fourni par Pierrette Laville, ancienne secrétaire de direction …

6 Créer son emploi et ouvrir une petite entreprise est possible. L'exemple de Pierrette Laville, ancienne secrétaire de direction, confirme cette possibilité. Elle a décidé d'ouvrir une petite entreprise de secrétariat-bureautique …

7 Créer son emploi et ouvrir une petite entreprise est possible. Qu'il suffise de rappeler l'exemple de Pierrette Laville, ancienne secrétaire de direction, qui a décidé d'ouvrir une petite entreprise de secrétariat-bureautique …

2 p. 46

(Réponses possibles)

• Isabelle, 22 ans, est titulaire d'un DEA de communication. Elle n'a pu trouver, pour commencer, qu'un travail d'aide caissière au BHV, dans l'espoir de devenir caissière avec un contrat à durée indéterminée. Son cas/son exemple ne fait qu'illustrer celui de beaucoup de jeunes qui acceptent un travail déqualifié, dans l'espoir d'accéder à un véritable emploi.

• Les emplois précaires, c'est bon pendant un certain temps, mais on ne peut pas organiser toute sa vie de cette manière. Tel est le cas de Jean, 29 ans, qui n'a pas réussi à terminer son DEUG d'anglais et a dû …

• Beaucoup de jeunes doivent se contenter de « petits boulots » s'ils veulent travailler. L'exemple le plus significatif nous est fourni par Isabelle, 22 ans, titulaire d'un DEA de communication qui n'a pu trouver, pour commencer, qu'un travail …

Récapituler pour conclure

1 p. 49

1. Finalement 2. En fait / en réalité 3. Au fond 4. Quoi qu'il en soit / de toute façon 5. En tout cas 6. Finalement 7. En réalité / en fait

2 p. 50

1 Les tests montrent bien que le niveau général des élèves augmente régulièrement. Mais en même temps, les exigences dans la vie sociale comme dans l'exercice d'un métier sont beaucoup plus fortes qu'autrefois. En fin de compte, c'est la notion même de niveau qui pose problème.

2 Une minorité d'élèves ne disposent pas des compétence de base en lecture. D'autres, c'est un fait, ne disposent pas toujours des bases culturelles nécessaires pour aborder des études littéraires. Mais, de toute façon, le niveau moyen ira en progressant.

3 Un certain nombre d'élèves ne disposent pas des compétences de base en lecture, c'est un fait. En réalité, cette baisse de niveau ne concerne qu'une partie du public des élèves.

4 Un certain nombre d'élèves ne disposent pas des compétences de base en lecture, c'est un fait. Mais les meilleurs voient leur niveau augmenter considérablement. En somme, il est très difficile de dire si le niveau a baissé ou non.

5 Un certain nombre d'élèves ne maîtrisent pas les opérations. Mais une comparaison des résultats des élèves en mathématiques au plan international montre que les élèves français se débrouillent assez bien. Finalement, le niveau en mathématiques n'est pas si mauvais que cela.

3 p. 51

(1. c) – (2. d) – (3. a) – (4. b)

4 p. 51

La loi de 1993 a modifié les conditions d'acquisition de la nationalité française. En effet, jusqu'à cette date là, tout jeune né en France et dont les parents étaient étrangers, obtenait automatiquement la nationalité française. Avec cette nouvelle loi, les jeunes nés et vivant en France, mais ayant des parents étrangers, doivent accomplir une démarche volontaire auprès de l'administration, entre 16 et 21 ans, pour obtenir la nationalité française. D'autre part, les majeurs qui ont été condamnés à une peine de prison de plus de 6 mois se voient refuser la nationalité française. Comment les jeunes réagissent-ils face à cette nouvelle situation ? Est-ce la bonne solution de les obliger à demander la nationalité française ?

Pour certains, il n'y a pas là problème. Tel est le cas de Noémie qui considère que cette mesure a le mérite de donner aux jeunes étrangers la liberté de choix. Par ailleurs, avoir la nationalité française peut faciliter la vie. Considérons par exemple le cas de Kader qui veut trouver du travail, qui veut aussi limiter les problèmes pendant les contrôles d'identité et qui est prêt à faire les démarches nécessaires. Mais si la mesure est bien reçue par certains, d'autres sont plus sceptiques et se demandent comment vont réagir des jeunes qui jusque là pensaient être français. Se pose en outre la question de ceux qui ont fait des bêtises en banlieue et qui risquent de se retrouver expulsés vers un pays qu'ils n'ont jamais connu.

Au fond, il n'y a pas d'hostilité de principe : adhérer à certaines valeurs de la République, à la démocratie, à la laïcité paraît normal. Mais on s'inquiète plus sur les conditions d'application de cette mesure.

5 p. 53

On considère très souvent que les parents aujourd'hui ne s'occupent pas suffisamment des jeunes, ce qui pose le problème de la responsabilité des familles dans l'insertion des jeunes.

Or, on oublie qu'il y a aussi des causes économiques aux difficultés d'insertion des jeunes. L'école a sa part de responsabilités. Et cependant on insiste beaucoup sur le rôle des familles. En réalité, les difficultés de la vie familiale s'ajoutent aux difficultés de la vie économique, alors que seules les familles sont rendues responsables. Or, s'en prendre uniquement à elles est dangereux. En fait, elles assument toutes sortes de responsabilités : ainsi les jeunes restent plus longtemps chez leurs parents, de même les familles sont très soucieuses du devenir de leurs enfants.

Aussi, condamner les familles, c'est aller un peu vite.

Concéder

1 p. 56

Élément concédé : Internet n'est pas une invention française.

Élément opposé : sa puissance, son ubiquité en font un outil sans précédent pour la diffusion de la culture française.

2 p. 56

1 Même si le CD-ROM se révèle peu commode pour une lecture suivie et nécessite un matériel de lecture coûteux, il permet une consultation rapide et autorise des recherches limitées, sélectives sur les textes.

2 Même si le livre imprimé ne facilite pas le travail de recherche et de sélection sur un texte, même si les encyclopédies et dictionnaires occupent des volumes considérables, ils permettent une lecture continue et réfléchie et ne nécessitent pas de matériel de consultation particulier.

3 p. 57

Par exemple :

1 Protéger le secteur de la production télévisuelle et cinématographique par un système de quotas ne va certes pas sans poser de problèmes. Cela maintient artificiellement une production cinématographique ou télévisuelle de faible qualité et cela prive aussi le public d'œuvres qu'il aime. Cependant c'est aussi un moyen de protéger la production nationale et de donner aux industries culturelles le temps de se développer.

2 Il est exact que la libre concurrence peut très rapidement éliminer les productions nationales et qu'il y a là une menace pour le maintien de la diversité culturelle. Mais c'est oublier que la concurrence est le meilleur garant de la qualité pour le public et que c'est celui-ci qui en dernier ressort doit décider de ce qui lui plaît ou de ce qui ne lui plaît pas.

4 p. 57

1 Commencer sa carrière dans une petite entreprise présente toutes sortes d'avantages : on est plus proche des centres de décision, on peut y acquérir des compétences reconnues, même si on doit admettre que les possibilités de carrière y sont plus limitées et que la situation des petites enteprises est plus fragile.

2 Il se peut que débuter sa carrière dans une grande entreprise présente un certain nombre d'avantages : cela compte dans la suite de la carrière et la vie y est plus facile, pour ce qui est de la formation et de la gestion de la carrière. Mais il ne faut pas oublier que les décisions importantes sont prises ailleurs et que l'information y circule moins bien.

5 p. 58

1 Il est vrai que l'apprentissage donne d'emblée une expérience du travail en entreprise, qu'il facilite l'adaptation à la vie de l'entreprise et que la formation continue permet par la suite de combler les manques de la formation initiale. Mais il ne garantit pas cependant l'acquisition des savoirs de base, confond entreprise et école et ne prépare pas les gens à changer plus tard de métier.

2 La formation en établissement a toujours un rôle essentiel. Certes, la formation dispensée y est parfois trop abstraite et elle ne favorise pas toujours l'adaptation à la vie de l'entreprise. Mais la formation intellectuelle est essentielle et l'acquisition des connaissances générales est indispensable pour exercer des métiers variés ou évoluer dans un métier.

6 p. 58

Lutter contre la consommation d'alcool doit d'abord passer par un travail d'information et de prévention auprès des jeunes dans les écoles, même si l'interdiction de la publicité dans les médias a un rôle à jouer.

15

Réfuter

1   p. 62

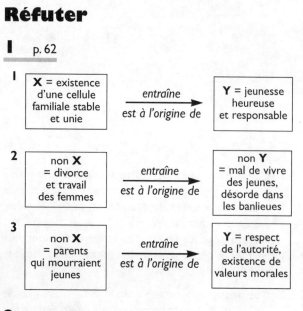

1

| X = existence d'une cellule familiale stable et unie | *entraîne* est à l'origine de | Y = jeunesse heureuse et responsable |

2

| non **X** = divorce et travail des femmes | *entraîne* est à l'origine de | non **Y** = mal de vivre des jeunes, désorde dans les banlieues |

3

| non **X** = parents qui mourraient jeunes | *entraîne* est à l'origine de | Y = respect de l'autorité, existence de valeurs morales |

2   p. 62

On avance très souvent comme explication des désarrois de la jeunesse contemporaine l'instabilité de la cellule familiale. Or, dans la famille d'autrefois, les parents mouraient jeunes, les enfants étaient ballotés de famille en famille ou confiés à l'hospice ou à une nourrice. Et, en même temps existait à cette époque un respect très marqué de l'autorité et des valeurs morales. L'explication par l'instabilité de la cellule familiale ne paraît donc pas fondée.

3   p. 62

Si X = crise économique

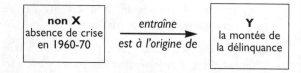

| non **X** absence de crise en 1960-70 | *entraîne* est à l'origine de | **Y** la montée de la délinquance |

4   p. 63

Si Y = baisse de la vente des livres imprimés

| **X** consultation électronique des livres | *entraîne* est à l'origine de | **non Y** maintien de la vente des livres imprimés |

1   p. 64

	Internet	Minitel
1. jugement initial	performant	dépassé
2. réfutation	Techniquement, Internet est loin d'approcher la délicieuse simplicité du Minitel : en outre, il est plus cher : il faut investir une bonne dizaine de milliers de francs au moins pour un PC ou un Mac. Qui plus est … à bonne vitesse.	Par comparaison la simplicité du Minitel restera longtemps sans concurrence.

2   p. 64

1

	Télévision	Cinéma
1. jugement initial	Elle détourne les gens de sortir et d'aller au cinéma.	Il attirait avant la télévision de très nombreux spectateurs.
2. réfutation	Elle passe des films très variés et maintient le goût du cinéma chez les gens.	Il passait beaucoup de films médiocres dans des salles peu confortables.

La télévision est souvent accusée d'avoir tué le cinéma en détournant les gens de sortir et donc d'aller au cinéma. Mais c'est oublier qu'en ce temps là on passait beaucoup de films médiocres dans des salles peu confortables. La télévision passe des films très variés et maintient le goût du cinéma chez les gens. Il y a toujours des spectateurs pour de bons films.

2

	Télévision	Lecture
1. jugement initial	Elle capte l'attention des gens qui sont fascinés par le petit écran.	Elle a souffert de l'introduction de la télévision dans certains domaines (presse quotidienne).
2. réfutation	Elle traite de toutes sortes de problèmes, consacre des émissions à la lecture et donne envie à de nombreux téléspectateurs de lire.	Elle continue à se maintenir chez les jeunes, à l'école.

3

	Vote	Sondage
1. jugement initial	Il peut être découragé par la multiplication des sondages.	Les sondages donnent parfois le sentiment qu'aller voter est inutile.
2. réfutation	Il dépend toujours en dernier ressort de l'attitude des électeurs.	Ils sont souvent démentis par les résultats des élections.

4

	Déforestation	Reforestation
1. jugement initial	Elle accroît la concentration en gaz carbonique, donc l'effet de serre, ce qui modifie le climat.	Elle favorise la diminution du taux de gaz carbonique.
2. réfutation	Le climat a connu autrefois de nombreuses variations, alors que les forêts étaient plus nombreuses.	L'effet de serre dépend de facteurs qui ne dépendent pas de l'existence de la forêt.

3 p. 64

Le moral des Français

Les Français n'ont pas le moral, tout va mal chez eux, l'économie, la vie sociale, la famille. Tels sont les propos que l'on entend tous les jours et qui demandent à être sérieusement examinés.

Le lien social s'affaiblit dit-on, les formes les plus fondamentales de solidarité disparaissent. Mais en même temps, les associations n'ont jamais été si nombreuses : par exemple, en 1990, huit millions de bénévoles se sont mobilisés en faveur des plus démunis. On nous dit aussi que le gouvernement est impuissant, qu'il ne peut plus agir sur la vie économique. En réalité, c'est l'État qui change, ainsi que ses relations avec les citoyens. À ces problèmes s'ajoute, plus grave, celui du chômage qui se développe dans l'indifférence générale. Certes, il s'agit là d'un vrai problème qui se pose de façon plus grave que dans d'autres pays, mais qui n'est pas propre à la France. Autre problème, la disparition de toute vie collective. Les Français se replient sur eux-mêmes, sur leur vie privée. Et pourtant on doit constater que les Français participent intensément à la vie municipale et régionale, que le lien local reste très fort. Simplement, l'engagement collectif prend d'autres formes que les formes ordinaires, celles que l'on connaissait. De même pour la famille. La cellule familiale s'affaiblit, les divorces augmentent, il y a de plus en plus de personnes seules. En fait, on oublie que les familles se recomposent, mais qu'elles sont toujours là, avec toujours le souci de l'éducation des enfants. Enfin, dernier problème, les élites incapables de diriger le pays, corrompues. Et pourtant, même si leur recrutement est mal fait, des changements commencent à s'opérer.

Tout compte fait, est-ce la France qui va plus mal ou est-ce le regard porté sur elle qui ne correspond plus à ce qu'elle devient ?

4 p. 65

Le livre de poche

1 Vendre les livres bon marché, c'est :
– diminuer les droits de l'auteur
– diminuer les bénéfices de l'éditeur qui ne pourra plus éditer que des classiques ;
– diminuer les bénéfices du libraire qui ne pourra vendre que des classiques ou de la littérature à succès.

2 L'auteur pourra toucher des droits plus importants sur les nouveaux livres qu'il publiera ;
– même argument pour l'éditeur et le libraire ;
– en fait, l'édition de poche ne porte que sur des ouvrages qui ont déjà touché leur public normal en édition ordinaire. Avec l'édition de poche on touche un public supplémentaire, on ne perd donc pas d'argent.

3 Certains éditeurs, certains libraires même, s'inquiètent devant la multiplication des éditions de poche qui prennent de plus en plus de place et ne laissent qu'une très faible à marge à ceux qui les éditent et les vendent. Certains voient là un risque mortel pour la création littéraire qui ne pourra plus être financée.

En réalité, le problème ne se pose pas exactement en ces termes. Il est exact qu'avec les livres de poche, les droits, les marges sont plus faibles. Mais, le passage d'un livre en collection de poche ne se fait que lorsque le livre dans son édition ordinaire a déjà touché son public. Les droits, les marges nécessaires à l'éditeur et au libraire pour pouvoir éditer de nouveaux auteurs ont déjà été versés. Avec le passage en collection de poche, on touche un nouveau public, ce qui crée de nouvelles recettes. On pourra donc continuer à publier de nouveaux auteurs.

Ex. p. 67

1 On ne peut pas à la fois protester contre l'excès d'impôts et réclamer une augmentation des dépenses militaires.

2 La presse quotidienne ne peut se plaindre de la baisse du nombre de ses lecteurs et en même temps augmenter le prix des journaux.

3 Il est peu cohérent de la part des syndicats de réclamer une diminution du temps de travail tout en demandant une augmentation immédiate des salaires.

4 Le France ne peut dans le même temps souhaiter que les pays étrangers accordent de plus en plus de place au français dans l'enseignement à côté de l'anglais et de son côté accorder de plus en plus de place à l'anglais dans son propre enseignement.

5 Les gens se plaignent de l'encombrement des plages au mois d'août, tout en marquant leur préférence pour ce mois lorsqu'ils veulent prendre leurs vacances.

6 Les entreprises sont peu logiques avec elles-mêmes quand elles veulent que leurs salariés soient de plus en plus mobilisés, alors qu'elles souhaitent pouvoir licencier leur personnel quand cela leur paraît nécessaire.

7 Les jeunes veulent pouvoir choisir librement leur orientation à l'université, mais, en même temps, ils se plaignent de ne pouvoir trouver du travail à la fin de leurs études.

8 Alors que les gens ne cessent de se plaindre des embouteillages dans les villes, ils préfèrent prendre leur voiture pour circuler.

9 Les gens ne peuvent à la fois être favorables à l'ouverture des magasins le dimanche ou les jours fériés et être hostiles au travail pour ces mêmes jours.

10 Tous les hommes politiques proclament leur attachement à l'Europe, mais en même temps s'opposent à toute décision de l'Europe qui limite la souveraineté de la France.

Démentir

Ex. p. 71

1 Il n'a jamais été question de fermer l'usine.

2 Les bruits selon lesquels un test de dépistage du sida ne serait pas fiable sont dénués de tout fondement.

3 La rumeur selon laquelle le joueur vedette de notre club irait jouer la saison prochaine dans un autre club de la région est sans fondement.

Corriger, faire une mise au point

Ex. p. 73

1 Si la nouvelle de l'implantation d'un centre de stockage de déchets nucléaires dans votre village est exacte, il n'existe pour autant aucune raison sérieuse de vous alarmer. Ce projet ne présente aucun risque pour la population et sera au contraire générateur d'emplois. Cela étant, nous comprenons votre inquiétude, mais toutes les précautions seront prises. Les déchets seront soigneusement emballés, enterrés à grande profondeur et surveillés en permanence.

2 Les protestations que fait naître le projet d'extension de la raffinerie n'ont pas lieu d'être. Si l'on peut être inquiet par principe des risques de pollution que peut faire courir notre activité à l'étang, l'expérience montre que depuis vingt ans, grâce aux précautions que nous avons prises, il n'y a jamais eu d'incidents graves. La qualité des eaux de l'étang sera maintenue et les pêcheurs n'ont donc rien à craindre.

Hésiter, douter, prendre des distances

Ex. p. 74

L'intérêt présenté par ce projet de construction d'un tunnel autoroutier sous Paris est incontestable.

Il aurait pour intérêt de soulager la circulation en surface. Reste à savoir s'il est raisonnable de se lancer dans un telle opération quand on en connaît les coûts, avec le risque aussi d'attirer encore plus d'automobiles vers Paris.

(Ou encore) Tout en reconnaissant l'intérêt présenté par ce projet de construction d'un tunnel autoroutier sous Paris, qui aurait pour avantage de soulager la circulation en surface, nous estimons cependant que devant l'importance des coûts de construction et devant le risque de voir ainsi attirer encore plus d'automobiles vers Paris, de nouvelles études doivent être entreprises avant toute décision.

Rapporter un point de vue

1 p. 75

Tableau 1
Conclusion
En définitive, même si la publicité est très présente dans les journaux, à la télévision, elle reste cependant indispensable au bon fonctionnement de ce secteur.

2 p. 76

Tableau 2
Conclusion
En définitive, même si la publicité permet aux journaux, à la télévision de vivre, ses excès finissent par la rendre insupportable.

Ex. p. 76

1 **Communiqué des partisans du parc naturel**
Parc naturel ou station de ski ? Pour certains, le choix est fait d'avance et pourtant il convient d'en débattre. Les partisans de l'ouverture d'une station de ski s'étonnent que l'on puisse s'opposer à un tel projet. Ils font valoir comme argument les emplois que ce projet va créer. Mais est-ce si sûr quand on sait combien il y a déjà de stations de ski dans les Alpes. Ils affirment en revanche qu'un parc naturel ne fait pas vivre les habitants. En fait, il les fait vivre, mais autrement. Des visiteurs viennent, mais plus

discrets, plus respectueux de la nature, intéressés par les plantes, les animaux. Ils sont plus nombreux qu'on ne le pense. Enfin, dernier argument, les jeunes qu'il faut retenir. Mais quels emplois pourront-ils trouver dans un projet aussi démesuré ? Les plus intéressants, ceux qui réclament une formation plus poussée, seront pris par des gens venus d'ailleurs.

2 Communiqué des partisans de la station de ski

Parc naturel ou station de ski ? Pour certains, le choix est fait d'avance et pourtant il convient d'en débattre. Les partisans de l'ouverture d'un parc naturel s'étonnent que l'on puisse s'opposer à un tel projet. Ils font valoir comme argument la nécessité de protéger les derniers chamois de la région, les plantes rares. Mais est-ce que cela va nous faire vivre, créer les emplois dont nous avons besoins ? Ils prétendent que ce parc attirera des visiteurs. Mais combien ? Combien dépenseront-ils dans la commune ? Ils soutiennent aussi que les emplois créés dans notre station de ski ne seront pas accessibles à nos jeunes. Mais mieux vaut un emploi, même faiblement qualifié, que pas d'emploi du tout comme à l'heure actuelle.

Louer, blâmer

1 p. 83

. Les retraités sont-ils favorisés ?
(critique)

La question mérite d'être posée quand on voit le sort des jeunes, menacés par le chômage et aux revenus incertains.

Plus de la moitié du patrimoine des Français est en effet aux mains des personnes de plus de 60 ans et leurs revenus ont considérablement augmenté ces dernières années. Ayant payé leurs dettes, voyant leurs dépenses diminuer, n'ayant plus d'enfants à charge et vivant plus longtemps, ils captent à leur profit une part de plus en plus importante de la richesse nationale.

Certes, ils ont beaucoup travaillé, participé à la reconstruction de la France, mais bénéficient sans contrepartie de l'effort de solidarité des Français, à un moment où les revenus du plus grand nombre stagnent ou diminuent.

En comparaison, la situation des jeunes paraît beaucoup plus difficile. Ils constituent une génération sacrifiée.

Les retraités sont-ils favorisés ?
(défense)

La question mérite d'être posée quand on voit le sort des jeunes, menacés par le chômage et aux revenus incertains. Plus de la moitié du patrimoine des Français est en effet aux mains des personnes de plus de 60 ans et leurs revenus ont considérablement augmenté ces dernières années.

Ayant payé leurs dettes, voyant leur dépenses diminuer, n'ayant plus d'enfants à charge et vivant plus longtemps, ils peuvent enfin se reposer, profiter de la vie, après avoir travaillé dur et aidé à la reconstruction de la France après la guerre.

Ils profitent certes de l'effort de solidarité des Français, mais s'occupent de leurs petits enfants et aident leurs enfants quand ils sont au chômage. Ils font donc preuve de solidarité à l'égard des générations plus jeunes.

En fait la génération sacrifiée est constituée par les chômeurs de longue durée, et les retraités n'y sont pour rien.

2 p. 85

Faut-il avoir peur de la télévision pour les enfants ?
(contre)

Pour beaucoup de parents, elle ne présente aucun intérêt, elle est même nocive. Des dessins animés mal faits, avec beaucoup de scènes de violence, des émissions de jeux et de chansons animées par des animateurs débiles, des séries niaises ! En somme, rien de bien intéressant, d'autant plus que les enfants passent plusieurs heures par jour devant le poste.

Certes, il y avait de la violence dans les contes d'autrefois, mais pas à ce point, pas avec une telle intensité. Certes, certaines émissions peuvent susciter la rêverie, mais elles tuent l'imaginaire, elles empêchent les enfants de se concentrer et les détournent de la lecture.

En fait, tout vaut mieux que de laisser les enfants devant la télévision, qu'ils jouent et discutent avec leurs frères et sœurs ou leurs copains, qu'ils sortent avec leurs parents ; mieux encore, qu'ils lisent.

Faut-il avoir peur de la télévision pour les enfants ?
(pour)

Pour beaucoup de parents, elle ne présente aucun intérêt, elle est même nocive. Des dessins animés mal faits, avec beaucoup de scènes de violence, des émissions de jeux et de chansons animés par des animateurs débiles, des séries niaises! En somme rien de bien en cela, d'autant plus que les enfants passent plusieurs heures par jour de vant le poste.

Et pourtant tout n'est pas critiquable, loin de là. Elle peut susciter la rêverie, aide à construire un nouvel imaginaire. En leur donnant le sens de l'autonomie dans le choix des programmes, elle est à la source de discussions nombreuses entre enfants.

La télévision n'a pas l'exclusivité de la violence, elle

21

se trouvait déjà dans les contes d'autrefois. Elle n'empêche pas les enfants de se concentrer, ni de lire, elle leur offre un autre univers à voir qu'ils pourront retrouver dans leurs lectures.

Pour les enfants qui n'ont pas la possibilité d'avoir des loisirs variés, de vivre dans un milieu où la lecture est valorisée, la télévision est un outil d'ouverture sur le monde à la portée de tous.

3   p. 86

I Le plan du texte

Guy Delage, Entre sport et livre des records.

Rappel de l'événement
Guy Delage a traversé l'Atlantique en cinquante cinq jours … Toujours est-il que sa volonté a triomphé des obstacles et qu'il a gagné son pari.

Discussion
• Et pourtant l'aventure a été traitée par la presse avec la plus grande ironie … Ainsi donc voit-on se profiler la distinction entre ce qui mérite le respect dû à un exploit sportif et la dérision que l'on inflige à l'excentricité.

• L'exploit sportif doit d'abord s'inscrire dans une catégorie reconnue. … c'est le docteur, les scientifique, le bienfaiteur de l'humanité qui recueille l'estime du public.

• En ce qui concerne Guy Delage, … pour que le sentiment sportif s'impose.

• Devant les critiques, … car devant une prouesse sportive, on ne se demande jamais à quoi elle sert.

Françoise Ploquin, *Le Français dans le Monde*, n° 272.

2 L'auteur blâme l'exploit du sportif Guy Delage « Ainsi donc on voit se profiler la distinction entre ce qui mérite le respect dû à l'exploit sportif et la dérision que l'on inflige à l'excentricité », « Le parcours ne s'est pas effectué par les seules vertus de la natation », « Par ailleurs le fait d'être relié à un canot donne l'impression qu'il a été tiré », « C'était bien l'aveu qu'on avait quitté le domaine du sport, car devant une prouesse sportive, on ne se demande jamais à quoi elle sert ».

3 Dans le premier paragraphe, l'auteur concède. Il relève toutes les difficultés que Guy Delage a dû vaincre, tous les obstacles qu'il a dû surmonter. Puis, il critique.

4 On concède
Guy Delage a traversé l'Atlantique à la nage, en cinquante cinq jours, relié à un canot qui dérivait

devant lui. Il a dû vaincre toutes sortes de difficultés. Et pourtant l'aventure a été traitée par la presse avec la plus grande ironie. L'accueil qui lui fut fait ajouta à la confusion. En effet, une bagarre à coups de fusil sous-marin opposa les reporters qui avaient les droits de l'exclusivité à ceux qui tendaient leurs micros pour obtenir les première impressions de Moïse sortant des eaux. Puis la polémique commença. « C'est un aventurier qui mérite une place dans le livre des records, mais il n'est pas digne de figurer parmi les sportifs de haut niveau – Pourquoi ? – Parce qu'il a dérivé plus que nagé ; parce qu'il a parcouru les deux tiers de la distance sur son embarcation. – Mais il a nagé … – Oui, six heures par jour comme un sportif à l'entraînement ». Ainsi donc voit-on se profiler la distinction entre ce qui mérite le respect dû à un exploit sportif et la dérision que l'on inflige à l'excentricité.

Un exploit sportif doit d'abord s'inscrire dans une catégorie reconnue. Tous les navigateurs solitaires qui, depuis Alain Gerbault en 1923, ont effectué la traversée et dont Laurent Bourgnon détient depuis 1994 le record de vitesse, ne se voient jamais contester leur brevet sportif. D'Aboville a traversé l'Atlantique à la rame en 1980, très bien. Stéphane Peyron l'a fait en planche à voile en 1987 : exploit accordé. Mais qui connaît Rémy Bricka qui traversa le même océan en 1988 sur des skis flottants de sa conception ? Voilà un concurrent relégué au chapitre de la fantaisie, le ski flottant n'étant pas une discipline admise. Quant à Alain Bombard qui prouva en 1952 qu'on pouvait traverser l'Atlantique en canot pneumatique sans eau, ni vivre, c'est le docteur, les scientifique, le bienfaiteur de l'humanité qui recueille l'estime du public.

En ce qui concerne Guy Delage, son projet même comportait certes un vice de forme. Le parcours ne s'est pas effectué par les seules vertus de la natation. Le palmeur a accompli « un exploit de bouchon » selon le raccourci plaisant d'un journaliste. Par ailleurs le fait d'être relié à un canot a donné l'impression qu'il a été tiré. Son geste même n'avait pas de beauté ; certains l'accusent d'avoir « barboté ». Il faut, il est vrai, une conception simple et une unité d'action pour que le sentiment sportif s'impose.

On réfute
Mais c'est oublier que l'Atlantique, ce n'est pas la traversée de la Manche à la nage qui peut se faire d'une seule traite, en quelques heures. Le nageur donnait des coups de palmes, six à sept heures par jour, puis montait sur son canot qui pousuivait sa

route vers les Antilles, poussé par des courants marins et l'alizé. Nul ne peut nier qu'il a beaucoup souffert. D'abord victime du mal de mer, il a ensuite connu la panne de son ordinateur, un début d'otite, des attaques de requins, des piqûres de méduses, la rupture d'une palme, ainsi que celle du filin qui le reliait à son canot, la violence des vagues déferlantes qui ont une dizaine de fois recouvert son canot, la solitude enfin et le face à face avec un défi qui peut, à certains moments, paraître absurde. Toujours est-il que sa volonté a triomphé des obstacles et qu'il a gagné son pari. Finalement, n'est-ce pas cela aussi l'exploit sportif ?

Conseiller, déconseiller

1 p. 89

a Les politiques de prêt dans les bibliothèques publiques connaissent à l'heure actuelle de profondes transformations, à l'image de ce qui se fait dans d'autres villes. Une politique de prêt payant permettrait de limiter les dépenses de la commune et faciliterait notre politique d'achat d'ouvrages. En effet, le prêt gratuit entraîne des charges croissantes pour notre commune, nous empêche d'acheter autant d'ouvrages que nous souhaiterions, ce qui se traduit d'ailleurs pour les éditeurs par une perte de chiffre d'affaires.

L'impact et l'effet de cette décision ne seront pas très importants. Notre bibliothèque est très fréquentée et a une excellente réputation. Il n'y a pas à s'inquiéter sur ce point. Les gens sont déjà habitués à payer une redevance pour la télévision. Ils accepteront de payer pour emprunter des livres.

Il est vrai que certaines catégories de lecteurs, ceux qui ont les revenus les plus modestes, risquent de ne pas pouvoir ou de ne pas vouloir payer.

Mais est-il envisageable de poursuivre une politique de prêt gratuit qui, dans les conditions actuelles, devrait se traduire par une augmentation des impôts ?

En réalité, une telle mesure permettra d'améliorer les ressources propres de notre bibliothèque, d'enrichir son fonds de livre et donc de toucher un public de lecteurs plus important.

Après tout, il est normal que ceux qui profitent d'un service apportent leur contribution. C'est la preuve de leur intérêt et de leur engagement. Tout le monde comprend cela aujourd'hui.

b Le parcours : éveiller (2a) la crainte (3b) d'une insatisfaction (4d) venant de l'application de la décision (5g)

Les politiques de prêt dans les bibliothèques publiques connaissent à l'heure actuelle de profondes transformations, à l'image de ce qui se fait dans d'autres villes, notamment par le développement de politiques de prêt payant.

Supprimer le prêt gratuit peut avoir pour effet de faire fuir un grand nombre de lecteurs et d'écarter de la lecture les personnes aux revenus les plus modestes. Le prêt payant résulte de nouvelles orientations qui consistent à faire payer le service par l'usager.

Mais une telle politique peut rapidement devenir impopulaire, surtout à un moment où la population est confrontée à des difficultés matérielles de plus en plus importantes. Aux prochaines élections municipales, nous risquons de perdre de nombreuses voix.

Certes, le prêt gratuit revient cher à la commune et nous empêche d'enrichir notre fonds de livre comme on pourrait le souhaiter.

Mais la lecture publique gratuite est une conquête sociale et ceux qui empruntent sont aussi ceux qui achètent. Pour les éditeurs, ce sera aussi une perte de chiffre d'affaires. On nous dit que les gens acceptent de payer une redevance de télévision assez élevée. Mais il n'est pas dit que les gens prêts à payer pour la télévision, soient prêts à payer pour les livres.

En fait, maintenir le prêt gratuit sera bien vu par les électeurs qui apprécieront notre politique sociale et qui voteront pour nous.

Après tout, il est normal que certains services, dans cette période particulièrement difficile, continuent à être gratuit. C'est l'affirmation du maintien de la solidarité entre tous.

2 p. 89

Parcours 1 : modérer (2b) la crainte (3d) d'une insatisfaction (4h) liée à l'application de la décision (5o)

Parcours 2 : modérer (2b) l'espoir (3c) d'une satisfaction (4e) liée à l'application de la décision (5o)

Parcours 3 : inciter en éveillant (2a) l'espoir (3a) d'une satisfaction (4a) liée à l'application de la décision (5a) dissuader en modérant (2b) l'espoir (3c) d'une satisfaction (4g) liée à l'application de la décision (5o).

3   p. 90

1 a) Les représentants de la justice, les parents, les éducateurs seront plutôt favorables à l'interdiction ou à la limitation de séries télévisées présentant des scènes particulièrement violentes.

b) Les responsables de chaînes télévisées et les réalisateurs seront hostiles à une interdiction ou une limitation de ce genre de séries.

2 a) Représentants de la justice, des parents, éducteurs : banalisation de la violence auprès de jeunes, valorisation des comportements dangereux, facilitation du passage à l'acte.

b) Responsables de chaînes et réalisateurs : liberté de création, importance de ces séries pour l'audience, la représentation de la violence n'engendre pas forcément des comportements violents, ce sont les situations vécues qui peuvent engendrer la violence

3 a) représentants de la justice, des parents, éducateurs : inciter à interdire en éveillant (2a) la crainte (3b) qu'il y ait des insatisfactions (4d) à tirer du maintien des séries télévisées (5e)

b) responsables de chaînes et réalisateurs : dissuader d'interdire en modérant (2b) l'espoir (3c) d'une satisfaction (4e) liée à l'interdiction des séries télévisées (5j)

4   p. 90

Étude de cas

1 Ne crois pas qu'en te cachant/en ayant pris la fuite tu puisses échapper aux recherches de la police. Elle finira toujours par te retrouver. En procédant ainsi, tu ne fais qu'aggraver ton cas.

2 Tu devrais te méfier de tes sentiments. Revivre avec ton mari ne t'apportera que des problèmes, les mêmes que ceux que tu as déjà connus.

3 Inutile de revenir sur cet épisode. Cette affaire est terminée et tu risquerais, sinon, d'éveiller de nouvelles tensions dans ton couple.

4 Il faut maintenir votre usine dans la ville. Tout le monde sera prêt à vous aider, et vous sera reconnaissant de l'effort que vous faites pour maintenir des emplois.

5 Certes, pouvoir toucher un salaire tout de suite est intéressant. Mais n'oublie pas que ce n'est que pour une période de 6 mois. Tu auras arrêté tes études et ce sera très difficile de les reprendre. Il vaut mieux à mon avis que tu refuses cette offre.

6 En cédant à Marie, à chaque fois qu'elle vous réclame de l'argent, vous évitez peut-être un drame sur le moment, mais ainsi vous ne vous en sortirez jamais. Il est préférable de lui opposer un refus très net.

7 (À ceux qui veulent protéger les cormorans)
Laisser les cormorans se reproduire au rythme actuel va poser de plus en plus de problèmes et les pêcheurs risquent d'avoir un jour des réactions très violentes. Plutôt que de ne rien faire, il est préférable de limiter la population des cormorans en détruisant une partie des œufs.

(Aux pêcheurs) Les cormorans sont des oiseaux à protéger. Vouloir tous les détruire n'est pas raisonnable. Vous vous heurterez à des oppositions très fortes. Il vaut mieux discuter avec les organisations chargées de la protection de ces oiseaux et voir comment il est possible d'en limiter la population.

8 Supprimer le baccalauréat soulagera l'administration de l'organisation, très complexe, de cet examen. Mais, l'Université ne pourra pas se contenter d'admettre les candidats sur dossier. Elle mettra en place un système de sélection à l'entrée qui posera autant de problèmes que l'ancien baccalauréat.

9 Confier systématiquement la garde des enfants à la mère va poser de plus en plus de problèmes. Au nom de l'égalité des sexes, les hommes admettent de moins en moins bien de se voir priver de l'éducation de leurs enfants. On doit tenir compte de l'évolution de la sensibilité des gens si l'on veut éviter des drames au moment des divorces.

10 Il existe en ce moment une pression très forte pour obtenir l'autorisation de l'ouverture des magasins le dimanche, mesure apparemment de bon sens dans la mesure où il existe une clientèle pour cela. Mais les conséquences à terme risquent d'être très graves sur le plan social. Le dimanche est un jour où la famille, les amis peuvent se retrouver, se livrer à des activités de loisirs. Accepter que l'on ouvre les magasins le dimanche, c'est accepter que d'autres secteurs de l'économie fassent aussi de telles demandes c'est, à terme, bouleverser la vie des gens et des familles.

Accuser, défendre

1   p. 94

Les faits

Un drame terrible vient de se produire au stade de B, drame qui a fait une vingtaine de morts et plus de cent cinquante blessés.

Le stade de B devait en effet accueillir un match de demi-finale de la Coupe de France où se retrouvait l'équipe de la ville. On peut imaginer l'enthousiasme des supporters. Le match, déterminant, devait se dérouler dans le stade que la municipalité louait au club de football, un stade trop petit pour une telle rencontre où l'on attendait de très nombreux spectateurs. On décida d'installer très rapidement des tribunes provisoires pour pouvoir accueillir le public attendu.

Vingt minutes après le début de la rencontre, une des tribunes provisoires s'est effondrée, entraînant dans sa chute des dizaines et des dizaines de spectateurs. Les sauveteurs ont eu énormément de mal à dégager les gens prisonniers dans un enchevêtrement de poutres, de matériaux. Le spectacle était affreux. Au total, on a compté une vingtaine de morts et plus de cent cinquante blessés.

L'émotion dans la ville est immense et tout le monde cherche à connaître le nom des responsables d'un tel drame.

L'accusation

En fait, dans une telle affaire, tout le monde a sa part de responsabilité : le club de football qui ne disposait pas des installations nécessaires, la municipalité qui n'a pas pris les précautions nécessaires, l'entreprise qui a travaillé trop vite, l'administration qui n'a pas fait son devoir de contrôle.

Or tout le monde est coupable. La municipalité considère que sa responsabilité n'est pas engagée (2a), qu'il s'agit de celle du club de football, de l'entreprise et de l'administration. Or ce stade, mal équipé, aurait dû être fermé depuis longtemps. Elle n'aurait jamais dû le louer à un club sportif (2b). La municipalité, comme l'administration n'ont pas suivi toute la procédure règlementaire. Elles disent que c'était justifié par l'urgence de la situation, que les tribunes devaient être prêtes pour le soir du grand match et qu'elles avaient eu recours aux services d'une entreprise spécialisée dans ce genre de travaux (3a). Or, aucune situation ne peut justifier que l'on prenne de tels risques avec les spectateurs (3b). L'entreprise, quant à elle, estime avoir fait son travail

et avoir agi dans le cadre de la mission qui lui était fixée. S'il n'y a pas eu les contrôles nécessaires, elle n'y est pour rien (2a) et, de toute façon, il y avait urgence (3a). Or, ici encore, ni la situation (3b), ni l'absence de contrôle (2b) ne justifient que l'entreprise ait mal fait son travail.

Quoi qu'il en soit, il y a vingt morts, plus de cent cinquante blessés, une ville en deuil. Et il faudra bien trouver tous les coupables.

2   p. 94

La municipalité ne peut pas accepter d'être mise en cause dans cette affaire. Sa responsabilité n'est engagée en rien (1a). Elle s'est contentée de louer le stade au club de football qui était chargé d'organiser la rencontre. Elle n'était pas responsable de son organisation (2a). Et, dans tous les cas, l'urgence de la situation était telle qu'il était difficile de procéder autrement (3a). En fait, l'entreprise est seule coupable par sa négligence.

3   p. 94

Nous reconnaissons notre part de responsabilité dans cette terrible affaire (1a). Nous avons recruté du personnel temporaire, insuffisamment qualifié et avons dû travailler très vite (1b). Les contrôles techniques n'ont pas pu être faits, c'est exact (2b), mais nous avons dû agir dans l'urgence à la demande du club de fooball et de la municipalité, avec un calendrier très serré. On ne nous a pas laissé le temps de travailler correctement (3a).

4   p. 95

Notre club vient de faire l'objet d'accusations extrêmement graves dans un drame terrible, que nous déplorons certes, mais où nous n'avons aucune responsabilité (1a). La question de la régularité des procédures ne relève pas de notre compétence, mais de celle de l'administration et de la municipalité (2a et 2b). En fait, il y avait urgence, c'est vrai, ce qui a pu justifier le fait que les commissions techniques n'aient pas eu le temps de donner leur avis (3a). Mais il est tout à fait anormal que l'on nous accuse de n'avoir pas respecté les procédures de sécurité (2b), d'avoir agi sans raisons valables (3b), la seule excuse que l'on nous reconnaisse étant de n'avoir pas agi de manière intentionnelle (4a). Nous ne sommes pas les propriétaires du terrain, ni capables de contrôler les entreprises.

5 p. 95

Drame de la drogue

1. Un journaliste prend la défense du père.

Un drame terrible vient de se produire dans notre petite ville. Un père de famille a tué son fils, Pascal, d'un coup de fusil de chasse, à la suite d'une crise de violence. Pascal en effet se droguait. Comment en est-on arrivé là ?

Au début, Pascal était un adolescent heureux. La vie lui souriait. Des parents qui s'occupaient de lui, un jeune frère et de nombreux amis. Il aimait le sport et rêvait de devenir footballeur professionnel. Mais progressivement tout change. L'humeur de Pascal s'assombrit. Il n'est plus le même. Des objets commencent à disparaître dans la maison, puis de l'argent. Sans qu'on sache très bien comment, Pascal est devenu toxicomane. Les parents sont atterrés, tentent tout ce qu'il est possible de tenter. Mais rien n'y fait. Pascal disparaît de la maison, puis réapparaît, devient de plus en plus violent. Les parents ont peur et veulent protéger le plus jeune frère. Un jour, la crise de violence est si forte, les menaces si inquiétantes que le père, à bout, tue Pascal d'un coup de fusil de chasse.

Certes, il y a là crime et un père a tué son fils, mais peut-on dire qu'il y avait intention délibérée de le faire (4a) ? Le comportement de Pascal de plus en plus violent, le désarroi des parents qui ne savaient plus que faire peuvent expliquer cet acte terrible (3a). Souhaitons qu'en cette affaire, la justice fasse preuve de clémence (5a).

2. Un journaliste lance un cri d'alarme devant des méthodes aussi expéditives.

Un drame terrible vient de se produire dans notre petite ville. Un père de famille a tué son fils, Pascal, d'un coup de fusil de chasse, à la suite d'une crise de violence. Pascal en effet se droguait. Comment en est-on arrivé là ?

Au début, Pascal était un adolescent heureux. La vie lui souriait. Des parents qui s'occupaient de lui, un jeune frère et de nombreux amis. Il aimait le sport et rêvait de devenir footballeur professionnel. Mais progressivement tout change. L'humeur de Pascal s'assombrit. Il n'est plus le même. Des objets commencent à disparaître dans la maison, puis de l'argent. Sans qu'on sache très bien comment, Pascal est devenu toxicomane. Les parents sont atterrés, tentent tout ce qu'il est possible de tenter. Mais rien n'y fait. Pascal disparaît de la maison, puis réapparaît, devient de plus en plus violent. Les parents ont peur et veulent protéger le plus jeune frère. Un jour, la crise de violence est si forte, les menaces si inquiétantes que le père, à bout, tue Pascal d'un coup de fusil de chasse.

Certes on peut comprendre le désarroi du père face à une situation pareille, mais rien se saurait justifier un tel acte (3b), accompli de façon délibérée (4b). Si tous les parents dont les enfants ont été en contact avec la drogue agissaient de la sorte, des crimes seraient commis tous les jours. Il y a d'autres manières de réagir.

3. Réquisitoire du procureur :

le père a bien tué son fils (1b) ; c'est un crime (2b) ; l'acte n'a pas de justification (3b) ; mais on peut admettre qu'il n'y avait pas préméditation, le père a agi sous le coup de la colère (4a)

4. Plaidoirie de la défense :

(1b) le père a bien tué son fils ; mais ce n'est pas un crime (2a) ; il fallait défendre le jeune frère (3a) ; et dans tous les cas, il n'y avait aucune intention criminelle de la part du père (4a) ; il faut faire preuve de clémence à l'égard du père (5a).

Débattre

p. 96

§2
Sous prétexte de soustraire un enfant à la misère et à l'abandon on l'arrache à son milieu de vie, celui où il a appris à vivre.

§3
Pour régler un problème, on va en créer un autre, l'adaptation de cet enfant en Europe, où il ne sentira jamais vraiment chez lui. Il vaudrait mieux aider ces enfants à survivre, à pouvoir être éduqués dans leur propre pays.

§4
Par ailleurs, on sait que ces adoptions se font dans des conditions tout à fait douteuses d'un point de vue légal. On passe par des intermédiaires dont le rôle n'est pas toujours très clair et qu'il faut souvent payer très cher.

§5
En outre, si les premiers temps de l'adoption se passent souvent sans trop de problèmes quand l'enfant est jeune, beaucoup de problèmes commencent à se poser à l'adolescence et très souvent de graves difficultés peuvent surgir.

§6

Certes, beaucoup de parents se donnent l'impression de sauver un enfant, mais ne s'agit-il pas le plus souvent de se faire plaisir à eux ? Sauver un enfant dans son pays n'est pas plus difficile que de l'adopter avec le risque de le déraciner.

§7

En fait, des personnes des pays riches profitent de la misère des familles dans les pays pauvres pour aller y chercher un enfant. Est-ce bien moral ?

1 p. 98

2 L'école ne peut pas limiter sa fonction à dispenser des connaissances générales qui ne sont d'aucune utilité dans la recherche d'un métier. Elle doit assurer une formation professionnelle, parce que c'est là le meilleur moyen de pénétrer sur le marché du travail (nécessaire). C'est d'autant plus nécessaire que, financée par la nation, l'école doit faire la preuve auprès de ceux qu'elle forme, de son efficacité (légitime). Cette formation professionnelle va permettre aux individus de gagner tout de suite leur vie et d'éviter de trop longues périodes de chômage (utile). Enfin, la mise en œuvre de cette formation, établie en fonction des besoins des entreprises, portant sur des objectifs précis peut se faire beaucoup plus aisément (facile). On peut objecter à cela que les métiers évoluent, les professions apparaissent et disparaissent et qu'à ce titre centrer l'école sur la formation professionnelle, c'est l'engager sur une voie qui se révèle parfois sans issue. Mais n'oublions pas que l'on n'apprend pas uniquement un métier particulier, mais aussi une culture technique qui peut servir toute une vie.

2 p. 98

1. Recherche des arguments
2. Classement des arguments

IL FAUT ACCORDER LE DROIT DE VOTE AUX ÉTRANGERS			IL NE FAUT PAS ACCORDER LE DROIT DE VOTE AUX ÉTRANGERS
	Introduction		
• Les étrangers font partie de la communauté de vie et de travail d'un pays • Les étrangers interviennent par leur travail, par leurs activités dans la vie d'un pays.	nécessaire	nécessaire	• Les étrangers ne font pas partie de la communauté des citoyens d'un pays. • Ils viennent y travailler uniquement pour gagner de l'argent et repartir un jour.
• Les étrangers sont soumis aux mêmes contraintes que les nationaux, ils paient des impôts, cotisent à toutes sortes de caisses de retraite ou de maladie.	légitime	légitime	• Les étrangers ne sont pas soumis aux mêmes devoirs que les nationaux, ils ne peuvent donc bénéficier des mêmes droits et donc du droit de vote.
• En votant, les étrangers se sentent mieux impliqués dans la vie du pays, s'y intègrent plus facilement et donc poseront moins de problèmes.	utile	utile	• Des étrangers très nombreux dans une région ou dans une ville pourraient s'emparer du pouvoir politique, ce qui est très grave
• Le droit de vote peut dans un premier temps être accordé pour les élections municipales, à titre d'essai, sans que cela bouleverse la vie du pays.	facile	facile	• Jusqu'à présent, les étrangers n'ont jamais posé ce genre de revendication et se satisfont de la situation telle qu'elle est. Ce qu'ils veulent c'est du travail.
• Des étrangers convenablement intégrés dans un pays n'ont jamais posé de problèmes. Ce sont les étrangers que l'on ne veut pas intégrer qui, à terme, se transforment en minorités impossibles à assimiler.	réfutation de l'objection	réfutation de l'objection	• Si les étrangers veulent s'intégrer dans un pays, ils n'ont qu'à demander à acquérir la nationalité du pays et à être soumis aux mêmes devoirs.
	conclusion		

Organiser
un développement écrit

1 p. 101

– Visée générale : B. Clavel blâme ceux qui veulent couper les tilleuls ;
– B. Clavel nie l'utilité de l'opération qui consiste à couper les tilleuls parce qu'ils sont malades ;
– Présence particulièrement manifeste qui traduit la force de sa réaction.

2 p. 102 **Rédaction des cinq textes**

1 Le nombre de demandeurs d'emploi a augmenté de 0,3 % en octobre dernier, alors qu'il s'élevait à 3 240 000 personnes en octobre 1995. Le nombre de chômeurs de longue durée s'élève à 1 045 900 personnes et celui des moins de 25 ans à 597 400.

2 Le nombre de demandeurs d'emploi a augmenté de 0,3 % en octobre dernier, alors qu'il s'élevait à 3 240 000 personnes en octobre 1995. Le nombre de chômeurs de longue durée s'élève à 1 045 900 personnes et celui des moins de 25 ans à 597 400. Une telle augmentation s'explique par une utilisation excessive des machines et des ordinateurs, ainsi que par l'importation de produits en provenance des pays pauvres. Elle est dûe aussi à des salaires trop élevés. Enfin elle est aussi la conséquence d'un développement des emplois à temps partiel ou à durée limitée.

3 Le nombre de demandeurs d'emploi a augmenté de 0,3 % en octobre dernier, alors qu'il s'élevait à 3 240 000 personnes en octobre 1995. Le nombre de chômeurs de longue durée s'élève à 1 045 900 personnes et celui des moins de 25 ans à 597 400. Une telle augmentation s'explique, selon certains, par une utilisation excessive des machines et des ordinateurs, ainsi que par l'importation de produits en provenance des pays pauvres. Elle est dûe aussi, avancent d'autres spécialistes, à des salaires trop élevés. Enfin elle est la conséquence, nous dit-on, d'un développement des emplois à temps partiel ou à durée limitée. Reste à savoir si de telles explications rendent bien compte du phénomène du chômage en France.

4 Le nombre de demandeurs d'emploi a augmenté de 0,3 % en octobre dernier, alors qu'il s'élevait à 3 240 000 personnes en octobre 1995. Le nombre de chômeurs de longue durée s'élève à 1 045 900 personnes et celui des moins de 25 ans à 597 400. Une telle augmentation s'explique, selon certains, par une utilisation excessive des machines et des ordinateurs.

Certes, des efforts considérables en matière de productivité ont été engagés, mais la mécanisation a permis aussi de créer beaucoup d'emplois et cela n'explique pas l'importance du taux de chômage en France.

De même, on évoque l'importation de produits en provenance des pays pauvres, ce qui est vrai en partie. Toutefois on ne peut pas fermer la France aux produits provenant de ces pays, ce qui entraînerait des représailles. Nous exportons aussi dans ces pays.

Cette importance du chômage est dûe aussi, avancent d'autres spécialistes, à des salaires trop élevés. Toutefois, d'autres pays d'Europe connaissent des niveaux de salaires plus élevés avec un chômage moins important.

Enfin elle est aussi la conséquence, nous dit-on, d'un développement des emplois à temps partiel ou à durée limitée. Mais l'entreprise doit pouvoir s'adapter, comme elle l'a toujours fait, à un marché qui évolue très rapidement.

En fait, de telles explications sont loin de rendre compte du phénomène du chômage en France.

5 Le nombre de demandeurs d'emploi a augmenté de 0,3 % en octobre dernier, alors qu'il s'élevait à 3 240 000 personnes en octobre 1995. Le nombre de chômeurs de longue durée s'élève à 1 045 900 personnes et celui des moins de 25 ans à 597 400. Une telle augmentation s'explique d'abord par une utilisation excessive des machines et des ordinateurs ; ce à quoi certains objectent que la mécanisation a permis aussi de créer beaucoup d'emplois et qu'alors cela n'expliquerait pas l'importance du taux de chômage en France. Pour autant la recherche de la productivité a fait disparaître de très nombreux emplois dans l'industrie, ce qui peut expliquer l'importance du chômage.

De même, on doit évoquer l'importation de produits en provenance des pays pauvres. Toutefois on nous rétorque qu'on ne peut pas fermer la France aux produits provenant de ces pays, ce qui entraînerait des représailles. Nous exportons aussi dans ces pays. Mais peut-on nier cependant qu'une grande partie des emplois dans le textile a disparu à cause des importations massives en provenance de ces pays ?

Cette importance du chômage est dûe aussi, avancent d'autres spécialistes, à des salaires trop élevés. Toutefois, d'autres pays d'Europe connaissent des niveaux de salaires plus élevés avec un chômage moins important. Mais il n'empêche que les salaires et les charges sont tels que beaucoup d'entreprises hésitent à embaucher du personnel.

Enfin elle est aussi la conséquence d'un développement des emplois à temps partiel ou à durée limitée. Mais l'entreprise doit pouvoir s'adapter, comme elle l'a toujours fait nous dit-on, à un marché qui évolue très rapidement. À quoi on peut objecter que les entreprises d'aujourd'hui font un usage de plus en plus systématique de ce genre d'emplois.

En fait, l'importance du chômage en France ne s'explique pas par une seule série de facteurs. C'est un phénomène très complexe qui doit être très sérieusement examiné.

3 p. 103

Simulation
1. et 2 l'argumentaire et la conclusion
(Tableau ci-dessous).

« Développer l'île »	« Protéger l'environnement »	« Défendre l'île »	Des électeurs indécis	Les services de l'État
• La loi sur le littoral paralyse l'effort de construction. • Les terrains constructibles constituent pour les familles de l'île une ressource importante. • Le tourisme et l'industrie du bâtiment sont nos seules ressources. • Ces constructions, faites avec goût ne déparent pas le site de l'île.	• La loi existe, il faut la respecter. • Il y a trop de résidences secondaires dans l'île. • Le site de l'île est en train de se dégrader. • On ne peut pas sacrifier l'environnement aux intérêts des artisans et des commerçants.	• Il existe déjà suffisamment de constructions dans l'île. • Si l'on poursuit les constructions à ce rythme, les touristes ne viendront plus. • Les artisans auront toujours du travail avec l'entretien des maisons.	• Il y a beaucoup de constructions sur l'île, trop peut-être. • Mais arrêter brutalement les constructions, geler les terrains va provoquer une crise considérable.	• La loi existe, il faut la respecter. • L'intérêt général doit l'emporter sur les intérêts particuliers. • La loi est raisonnable, elle n'interdit pas les constructions, elle les limite simplement au bord de la mer.
Conclusion : La décision du Préfet doit être annulée.	Conclusion : La décision du Préfet doit être respectée.	Conclusion : La décision doit être respectée.	Conclusion : Il faut demander une application progressive de la loi.	Conclusion : La loi doit être appliquée.

3 L'interdiction de toute construction au bord de la mer par une application brutale de la loi sur le littoral va entraîner la ruine de l'île. Celle-ci ne vit en effet que du tourisme et de la présence de très nombreuses résidences secondaires. Une grande partie de notre population vit du commerce et du bâtiment. Beaucoup de familles possèdent des terrains qui n'ont de valeur que si l'on peut construire dessus. Certes, un développement excessif des constructions peut déparer l'île. Mais nous avons toujours été attentifs à la qualité des constructions et de l'architecture. Nous devons donc absolument nous opposer à l'application de cette loi.

4 Protéger l'environnement de notre île est devenu une nécessité impérative. Le développement des constructions atteint un niveau tel que le bord de la mer devient inaccessible et que les dernières zones sauvages sont en train de disparaître. Nous ne pouvons pas sacrifier la beauté de notre île à la spéculation immobilière et au besoin qu'ont les commerçants et les artisans de voir arriver des touristes toujours plus nombreux. Pense-t-on résoudre le problème des emplois en encourageant des activités centrées sur le seul tourisme ? D'autres types d'activités sopnt à envisager. Aussi faut-il appliquer absolument cette loi avant qu'il ne soit trop tard.

5 Nos familles ont fait construire des résidences secondaires dans cette île parce que nous apprécions son charme. On y trouve la mer, du grand air, des zones encore sauvages où l'on peut se promener et faire du vélo. C'est pourquoi nous y revenons tous les ans. Or, un développement massif des constructions risque de détruire ce charme et de faire partir beaucoup de résidents. Respecter le bord de mer semble une décision raisonnable. Il est vrai que beaucoup d'artisans vivent de la construction. Mais il y a toujours beaucoup de travail dans l'entretien des maisons. Le respect de cette loi nous paraît nécessaire.

6 La loi de protection du littoral a été conçue pour permettre de protéger des sites qui, par leur qualité, attirent de très nombreux touristes. Si vous voulez conserver ces touristes, il faut maintenir la qualité des sites. Cette loi, d'autre part, n'interdit pas les constructions. Elle les limite seulement sur le bord de la mer. Les entreprises de bâtiment peuvent donc poursuivre leurs activités, mais dans d'autres zones de l'île. Cette loi respecte l'intérêt de tous. Elle doit donc être appliquée.

7 L'association « Défendre l'île » s'intéresse à l'île, au site, mais pas à ses habitants. Certes, nous sommes comme tout le monde attachés à sa beauté et savons bien que, si elle attire des touristes de passage et des résidents, c'est pour la mer, le grand air, les zones sauvages. Mais nous devons vivre aussi. Des gens ont acheté des terrains au bord de la mer pour y construire, et nous nous sommes organisés pour pouvoir poursuivre nos activités. Appliquer cette loi, c'est nous condamner à la ruine, c'est condamner notre île. Est-ce cela que nous voulons ?

8 « Développer l'île » prétend défendre l'île. En réalité, elle ne fait que défendre les intérêts de certaines catégories de personnes, les artisans et les commerçants, prêts à tout sacrifier pour cela. Il est exact que l'application de la loi peut mettre certaines entreprises en difficulté. Mais pourquoi avoir organisé toute l'activité économique de l'île autour de la spéculation immobilière ? Nous avons à plusieurs reprises attiré l'attention de la municipalité sur ce point. Elle ne nous a jamais écouté. Maintenant il est trop tard. C'est pourquoi la loi doit être appliquée.

9 « Développer l'île » à « Défendre l'île »
Vous souhaitez voir appliquer la loi de protection sur le littoral et voir notamment interdire la construction de nouvelles résidences. Or vous-mêmes êtes des résidents secondaires et avez profité de cette possibilité de construire sur notre île. On ne peut à la fois prétendre bénéficier d'un avantage et l'interdire aux autres. Quant à la possibilité de vivre, pour nous, des seuls travaux d'entretien des maisons, vous savez bien que cela n'est guère possible. Nous sommes trop nombreux. Il faut que nous puissions construire là où les gens en ont envie. C'est ainsi que nous pourrons continuer à vivre. C'est ainsi le meilleur moyen de défendre l'île.
« Défendre l'environnement » à « Défendre l'île »
Vous êtes d'accord pour limiter maintenant les constructions de résidences secondaires. Mais vous êtes vous-mêmes responsables de cette situation, une île couverte de maisons, vides les trois-quart de l'année et nous avons toujours dénoncé cette situation. Si nous apprécions votre prise de position sur l'application de la loi de protection du littoral, pour autant nous n'en partageons pas les motivations. Ce sont les résidents secondaires, par leur trop grand nombre, qui portent atteinte à la beauté de l'île.

10 L'île de Retz est une petite île près de la côte française sur l'océan Atlantique. Une eau claire, du grand air, des zones encore sauvages où l'on peut se promener, faire du vélo. 5 000 habitants l'hiver, 20 000 l'été. Une maison sur deux est une résidence secondaire. Autant dire que l'île vit du tourisme et de la construction des maisons.

Mais voilà, il y a une loi de protection du littoral qui interdit toute construction à moins de 100 mètres de la mer. Les services de l'État par l'intermédiaire du Préfet ont décidé, à partir de cet été, de faire désormais appliquer la loi, sous peine de voir des constructions apparaître un peu partout et le site se dégrader.

Depuis, rien ne va plus. Les entrepreneurs, les artisans-maçons se voient soudain privés de travail, les propriétaires de terrain découvrent qu'ils ne peuvent plus y construire ou le vendre. Le conseil municipal vient de démissionner pour protester contre la décision du Préfet.

De nouvelles élections municipales se préparent avec plusieurs forces en présence. Tout d'abord une liste « Développer l'île » qui comprend des professionnels du bâtiment, des commerçants, des gens de l'île propriétaires de terrain. Appliquer la loi ne peut, selon eux, que les conduire à la ruine. La prospérité de l'île de Retz provient du tourisme, de la présence des résidences secondaires. Cette loi va provoquer le départ des gens, l'arrêt des travaux et la ruine de tous.

Une liste opposée « Protéger l'environnement » qui comprend des personnes soucieuses de limiter les constructions, de préserver la beauté de l'île souhaite l'application de la loi. On a trop construit, l'île est livrée à la spéculation immobilière et perd tout son charme. Pour toutes ces raisons, il faut exiger que l'on respecte au moins le bord de la mer.

Une association de personnes propriétaires de résidences secondaires « Défendre l'île », peu soucieuses de voir se multiplier les constructions et redoutant l'arrivée de nouveaux résidents, ce qui pourrait provoquer toutes sortes d'encombrements, de dérangements sur l'île.

Et puis, il y a des électeurs de l'île, indécis qui s'inquiètent des problèmes économiques que risque d'entraîner l'application de la loi, mais qui aimeraient bien aussi qu'on limite des constructions qui se poursuivent de façon trop anarchique.

Les services de l'État, s'ils n'interviennent pas directement dans les élections, rappellent qu'il faut appliquer la loi et faire prévaloir l'intérêt général. Le Préfet ne manque pas d'ailleurs de signaler que cette limitation ne s'applique que pour le bord de la mer.

11 L'île de Retz est une petite île près de la côte française sur l'océan Atlantique. Une eau claire, du grand air, des zones encore sauvages où l'on peut se promener, faire du vélo. 5 000 habitants l'hiver, 20 000 l'été. Une maison sur deux est une résidence secondaire. Autant dire que l'île vit du tourisme et de la construction des maisons.

Mais voilà, il y a une loi de protection du littoral qui interdit toute construction à moins de 100 mètres de la mer. Les services de l'Etat par l'intermédiaire du Préfet ont décidé à partir de cet été de faire désormais appliquer la loi, sous peine de voir des constructions apparaître un peu partout et le site se dégrader.

Depuis, rien ne va plus. Les entrepreneurs, les artisans-maçons se voient soudain privés de travail, les propriétaires de terrain découvrent qu'ils ne peuvent plus y construire ou le vendre. Le conseil municipal vient de démissionner pour protester contre la décision du Préfet.

De nouvelles élections municipales se préparent avec plusieurs forces en présence, d'une part une liste « Développer l'île » qui comprend des artisans et des commerçants soucieux de voir se développer le tourisme, même au prix d'une dégradation du cadre de vie et de l'autre une liste « Défendre l'environnement », appuyée par une autre association « Défendre l'île » qui regroupe des résidents secondaires déjà installés et qui aimeraient bien que les constructions soient limitées.

Ce genre de situation tend à se retrouver en de nombreux endroits. Faut-il encourager à tout prix le tourisme ou bien faut-il en limiter les conséquences, quitte à entraîner des difficultés économiques pour les habitants.

(Voir louer/blâmer). En fait, on sait que livrer une île au tourisme, autoriser toutes sortes de constructions, c'est progressivement porter atteinte au cadre de vie, avec le risque un jour de faire fuir définitivement les touristes découragés par l'encombrement des routes, l'impossibilité de se rendre au bord de la mer. Parler de développement économique sous cette forme n'a plus de sens. C'est la fuite en avant, avec au bout la catastrophe.

Un aménagement des équipements touristiques plus respectueux du cadre de vie est certainement plus approprié.

Imprimé en France par I.M.E. - 25110 Baume-les-Dames
Dépôt légal n° 1712-04/1997 - Collection n° 23 - Edition n° 01
15/5082/1